U0065559

白明植　圖文

　　出生於江華，主修西畫，曾任出版社的總編輯。創作小朋友喜歡的繪本時，是感到最幸福的時刻。繪有《享用大自然的美味（全四集）》、《WHAT？自然科學篇（全10集）》系列、《閱讀的鬼怪》等，而創作全圖文的繪本則有《豬學校（全40集）》、《人體科學繪本（全5集）》、《好吃的書（全7集）》、《低年級STEAM學校（全5集）》、《名偵探小串的生態科學（全5集）》等系列（以上均暫譯）。曾獲少年韓國日報優秀圖書插畫獎、少年韓國日報出版部門企劃獎、中央廣告大賞、首爾插畫獎。

千宗湜　監修

　　從首爾大學微生物系畢業後，至英國紐卡索大學醫學院微生物系獲博士學位。迄今為止，從江華島的潮間帶、南極的世宗基地、獨島等地尋找到新的微生物，並發表過兩百多篇學術論文，在國際間具有一定的學術地位。因為常從國內外自然界中，找出新型且多元的微生物，而被譽為「微生物獵人」。

　　歷經美國馬里蘭大學海洋生技研究中心研究員、韓國生技研究中心資深研究員，自2000年開始擔任首爾大學生命科學系的教授，開啟指導學生的教涯。也是Chunlab生技公司（www.chunlab.com）的創辦人，目前為韓國科學技術研究院（www.kast.or.kr）的正式會員。著作有《值得感謝的微生物、令人討厭的微生物》（暫譯）等書。

● 知識繪本館

微生物小祕密 3 嘿！我是真菌 大地最稱職清潔員

作繪者｜白明植　監修｜千宗湜　譯者｜葛增娜　審訂｜陳俊堯
責任編輯｜張玉蓉　美術設計｜丘山　行銷企劃｜陳詩茵

天下雜誌群創辦人｜殷允芃　董事長兼執行長｜何琦瑜
兒童產品事業群
副總經理｜林彥傑　總編輯｜林欣靜　版權專員｜何晨瑋、黃微真

出版者｜親子天下股份有限公司
地址｜臺北市 104 建國北路一段 96 號 4 樓
電話｜（02）2509-2800　傳真｜（02）2509-2462
網址｜www.parenting.com.tw
讀者服務專線｜（02）2662-0332　週一～週五：09:00-17:30
傳真｜（02）2662-6048　客服信箱｜bill@cw.com.tw
法律顧問｜台英國際商務法律事務所・羅明通律師
製版印刷｜中原造像股份有限公司
總經銷｜大和圖書有限公司　電話｜（02）8990-2588

出版日期｜2022 年 3 月第一版第一次印行
定價｜320 元　書號｜BKKKC197P
ISBN｜978-626-305-160-7（精裝）

訂購服務
親子天下 Shopping｜shopping.parenting.com.tw
海外・大量訂購｜parenting@cw.com.tw
書香花園｜臺北市建國北路二段 6 巷 11 號　電話（02）2506-1635
劃撥帳號｜50331356 親子天下股份有限公司

國家圖書館出版品預行編目（CIP）資料

微生物小祕密. 3, 嘿!我是真菌,大地最稱職清潔員/
白明植圖.文. -- 第一版. -- 臺北市：
親子天下股份有限公司, 2022.03
32面 ;19x25公分
注音版
ISBN 978-626-305-160-7(精裝)

1.CST: 微生物學 2.CST: 真菌 3.CST: 繪本
369　　　　　　　　　　110022188

미생물투성이 책 3: 곰 팡이　The Microbic Book: 3. Mold
Text and illustrations copyright © Baek Myoungsik, 2017
Consulted by Cheon Jongsik , Doctor of Microbiology
First published in Korea in 2017 by Bluebird Publishing Co.
Traditional Chinese edition copyright © CommonWealth
Education Media and Publishing Co., Ltd., 2022
All rights reserved.
This Traditional Chinese edition published by arrangement
with Bluebird Publishing Co. through Shinwon Agency Co.

立即購買 >

微生物小祕密3

嘿！我是真菌 大地最稱職清潔員

白明植 圖文　千宗湜 監修　葛增娜 翻譯

陳俊堯 審訂
（慈濟大學生命科學系助理教授、科普文字工作者）

我是真菌，
住在陰暗又潮溼的地方。

6 億年前，我出現在地球上。
雖然我散發著霉味，長相也不是挺好看，
但我一點都不髒，也不會傳染疾病。

我也會做很多好事。
像是將數億年來累積的動物屍體清理乾淨，
就是我們真菌。

即使這樣，人類怎麼還是討厭我們呢？

孢子

菌絲

我們真菌有黑色、藍色、紅色等各種顏色。
這是因為不同的真菌，孢子顏色也不太一樣。

你問我什麼是孢子？
孢子是真菌的生殖細胞，真菌用孢子取代種子繁殖。
孢子的形狀也有很多種，有的是粗短形，
也有像球一樣圓圓的，或是細細長長的形狀。

孢子發芽後長出來的分枝就是菌絲，
菌絲像線一樣，細細長長的。

我喜歡陰暗和潮溼的地方，
還有喜歡吃食物殘渣
或死掉的動植物。

我們的專長是讓食物壞掉和產生毒素，
也會讓樹或草生病。
大麥的黑穗病、白米的稻熱病，都是真菌造成的。
足癬或其他的癬，也是我們真菌的作品。

就算這樣也不用害怕，我們也做很多好事。
像是青黴菌會製造治病的抗生素，
酵母會讓酒、醬油或味噌發酵成美味的食物。

我們真菌是森林的營養師，
會做出植物生存必需的礦物質。

礦物質是指氮、磷、硫、
鈣、鎂、鉀、鐵等成分。
真菌會分解落葉、枯萎的樹枝、
動物的糞便或屍體，再做成礦物質。

接著植物會利用根部，
吸取真菌放出的礦物質。

我們真菌大多用孢子來繁殖。

在菌絲尾端產生孢子，
然後讓那些孢子擴散出去。
孢子飛出去之後，會在某個地方落腳，
即使沒有分雌雄，也可以繁殖。

像這樣沒有雌雄就可以繁殖，
稱為「無性生殖」。

再來我要開始炫耀我們真菌的事蹟：
我們可以打敗致病的細菌！

「哇，青黴菌把細菌殺死了。
可以用青黴菌治好被細菌感染的疾病！」
一位名叫亞歷山大‧弗萊明（Sir Alexander Fleming）
的科學家，偶然發現這件事。

弗萊明是第一位找到青黴菌的人，
後續由其他科學家從中提煉出「青黴素」。
青黴素是人類史上第一個發現的抗生素。

第二次世界大戰時，
多虧青黴素救了很多人的性命。
怎麼樣？我們真菌很厲害吧！

這是青黴菌的孢子。

青黴素救了很多人的性命呢～

我們真菌也是注重健康的廚師。
大家都知道味噌吧？
也應該都喝過熱騰騰的味噌湯。
味噌是用豆類製成的，
必須好好發酵才會好吃。

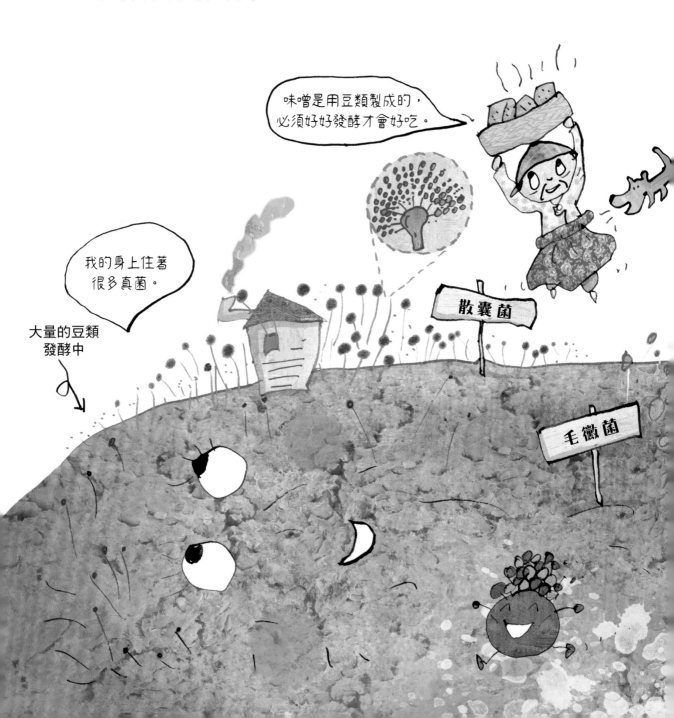

味噌是用豆類製成的，
必須好好發酵才會好吃。

我的身上住著
很多真菌。

大量的豆類
發酵中

散囊菌

毛黴菌

發酵的豆類裡，住著許多真菌，
像是喜歡乾燥的散囊菌，
也有毛黴菌和米麴菌。

黃豆

利克密黴

米麴菌

我們真菌不是植物，生長方式也跟植物不一樣。
植物行光合作用才能得到養分。
如果想要行光合作用，就一定要有陽光。
可是我們真菌，即使沒有陽光也沒問題。
我們會分解及吃掉植物產生的養分，
所以才喜歡陰暗和潮溼的地方。

真菌用菌絲吸取養分。

對了，你知道做麵包或釀啤酒時，
需要使用酵母嗎？
酵母不像其他真菌會長出菌絲，
倒像細菌那樣長得圓圓的。
不過，酵母還是屬於真菌的一種。

酵母可以把糖分轉成酒精、二氧化碳等產物。
所以釀酒的時候，一定要有酵母。
用在製作麵包的時候，
酵母產出的二氧化碳，會讓麵包膨脹起來。

葡萄酒

酵母不吃多醣類，譬如澱粉，
只喜歡吃容易入口的單醣類或雙醣類。
單醣類是指果糖、葡萄糖和半乳糖。

就像名稱一樣，葡萄裡有許多單醣類的葡萄糖。
所以當葡萄遇到酵母，就能釀成葡萄酒。

大麥的主要成分是澱粉。
把發芽的大麥，也就是「麥芽」，晒乾後碾碎，
裡頭有很多將澱粉轉換為葡萄糖的酵素
就會開始工作。
然後接著就由酵母讓麥芽發酵成啤酒了！

而在米裡混和米麴，就能釀造小米酒。
米麴裡不只有酵母，
還有其他種真菌和細菌。

糖易溶於水，也有甜味。
但澱粉、肝糖、纖維等
多醣類沒有甜味。

酵母用處多多，可以做麵包也可以釀酒，
通常住在花朵、水果、泥土或昆蟲的身體裡。

對了，有沒有聽過「猴兒酒」？
難道猴子也會釀酒嗎？
其實是葡萄皮裡有很多酵母，
所以只要把葡萄壓碎放著，
就會自動釀成酒了！

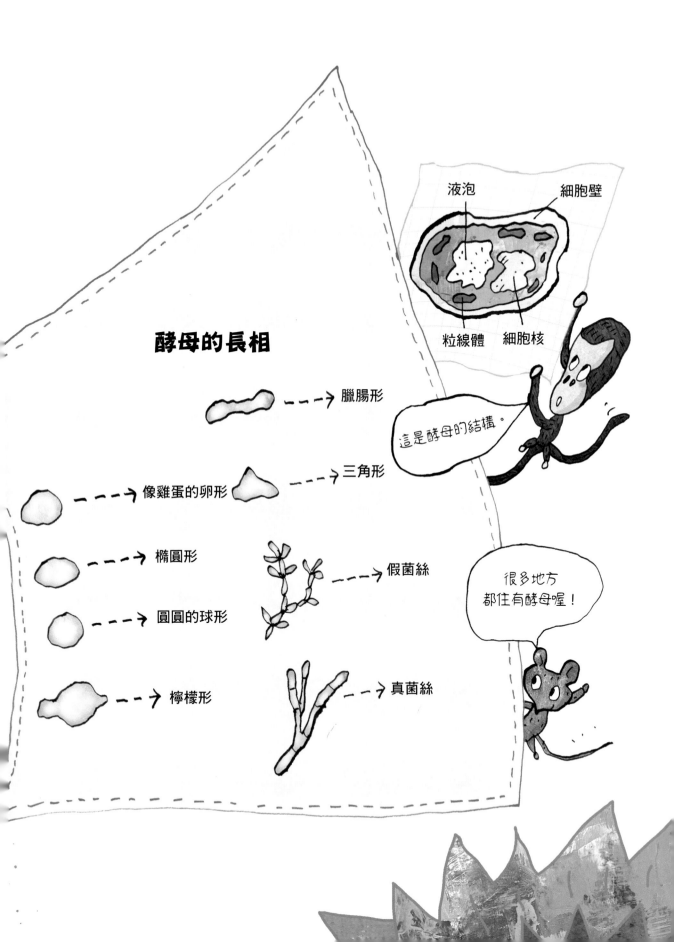

現在，來介紹我的
好朋友——菇類。

菇類也屬於「真菌界」，
一樣用孢子來繁殖。
真菌界的夥伴沒有能
行光合作用的葉綠素，
所以無法像植物一樣
可以自行製造養分，
只能靠別的生物
生產的養分過活。

有些菇類可是會
寄生在昆蟲體內呢～

菌種感染了昆蟲，寄生
在昆蟲體內，昆蟲渾然
不覺。

有種不舒服
的感覺～

菌種長大後，會殺死或控
制被當成宿主的昆蟲。

菇類會吃蟲？
真是太奇怪了！

有些菇類則會住在昆蟲體內。
當他們的菌種進入昆蟲的身體後，漸漸長大，
最後殺死昆蟲，然後昆蟲會整個變成菇類。

譬如「冬蟲夏草」就是這樣，
很常被人類當作藥材使用。

菇類從昆蟲的身體長出，
越長越大。

不過，也有會幫助其他生物的菇類。

讓我告訴你一個好心菇的故事。

在非洲的切葉蟻，住在堆疊成高塔的家，

家中有儲藏樹葉或草的獨特房間。

切葉蟻會在這個房間裡種下孢子。

當孢子長大成菇類後，就會讓切葉蟻拿去餵幼蟲。

簡單來說，菇類幫助切葉蟻把孩子順利養大。

切葉蟻的家
能高達5公尺！

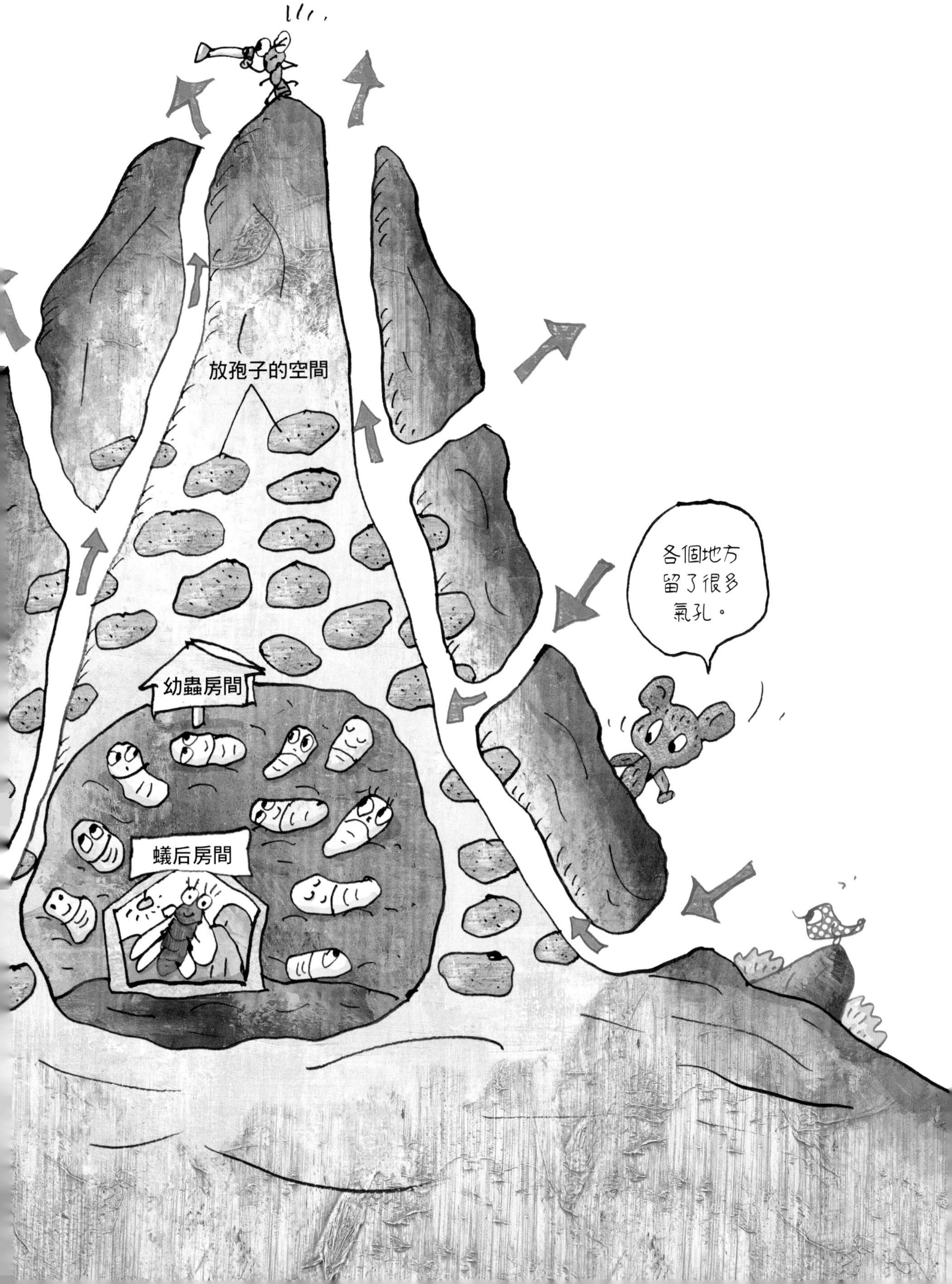
放孢子的空間
幼蟲房間
蟻后房間
各個地方
留了很多
氣孔。

我們真菌家族很龐大，
住在地球的真菌種類多達 5 萬種。

我們喜歡溫暖又潮溼的地方，
不過也有躲在冰箱肉品裡的朋友。

雖然有些真菌會危害人體，
但請記得也有許多真菌為人類帶來好處。
請一起快樂的和我們真菌在地球上共存吧！

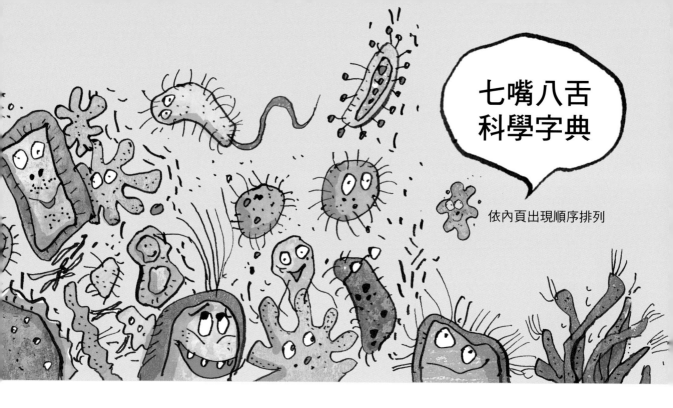

七嘴八舌
科學字典

依內頁出現順序排列

真菌
和細菌、病毒一樣是微生物的一種。喜歡陰暗和潮溼的地方。

孢子
為了可以隨著風飛得遠遠的,孢子的結構是結實但輕盈的。到達新的地方之後,就會變成菌絲持續生長下去。

菌絲
真菌的細絲狀結構。

抗生素
用來殺死細菌或真菌的藥物。

單醣類
是最簡單的「醣」，也是醣類的基本單位，能立刻被血液吸收。葡萄糖、果糖、半乳糖是三種主要的單醣。

雙醣類
由兩個單醣接在一起形成的醣類，稱為「雙醣類」。蔗糖、麥芽糖和乳糖都屬雙醣類。

多醣類
由三個以上的單醣接在一起形成的醣類就稱為「多醣類」，例如澱粉、肝糖和纖維。

菇類
菇類和黴菌、酵母等都屬於真菌。菇類不同於其他微生物，是大到可以用眼睛看得到。在陰暗的土地上、樹木的陰影處生長，有的具有毒性。